罗尔德·达尔

了不起的狐狸爸爸

刘海栖／主编

[英] 罗尔德·达尔／著

[英] 昆廷·布莱克／绘

代　维／译

明天出版社

图书在版编目（CIP）数据

了不起的狐狸爸爸/[英] 达尔（Dahl,R.）著；代维译.–济南:明天出版社，
2009.3（2015.5重印）
（罗尔德·达尔作品典藏）
ISBN 978-7-5332-5956-3

Ⅰ.了… Ⅱ.①达…②代… Ⅲ.童话–英国–现代 Ⅳ.I561.88

中国版本图书馆CIP数据核字（2009）第001348号

责任编辑：刘　蕾
美术编辑：于　洁

了不起的狐狸爸爸 罗尔德·达尔作品典藏

[英] 罗尔德·达尔/著　[英]昆廷·布莱克/绘　代　维/译

出版人/傅大伟
出版发行/明天出版社　地址/山东省济南市胜利大街39号

http://www.sdpress.com.cn　http://www.tomorrowpub.com
经销 / 各地新华书店　印刷 / 济南乾丰印刷有限公司
版次 /2009 年 3 月第 1 版　　印次 /2015 年 5 月第 32 次印刷
规格 /148 毫米 × 202 毫米 32 开　印张 /3.5　千字 /28
ISBN 978-7-5332-5956-3　　定价：10.00 元
山东省著作权合同登记号：图字 15–2008–109 号

如有印装质量问题，请与出版社联系调换。　电话：(0531) 82098710

人物介绍

狐狸先生

狐狸太太

小狐狸

獾

博吉斯

比恩

邦斯

目　录

1 三个饲养场主

　　山谷里有三个饲养场。三个饲养场的场主经营得不错。他们都是有钱人，但也都是卑鄙龌龊的家伙。他们三个简直是你所能遇到的最卑鄙、最小气的人。他们的名字是博吉斯、邦斯和比恩。

　　博吉斯是养鸡场的场主。他养了好几千只鸡。他胖得出奇，这是因为，他一日三餐要吃三只盖着厚厚一层水果布丁的水煮鸡。

　　邦斯是鸭鹅饲养场的场主。他养了好几千只鸭子和鹅。

他是个大腹便便的小矮个。他长得很矮，站在世界上任何一个游泳池里的浅水一端，他的下巴都会在水面以下。他吃的东西是炸面圈和鹅肝。他把鹅肝捣成令人作呕的糊糊，然后把它们塞进炸面圈里。常吃这种食物，他便肚子疼痛，性情暴躁。

了不起的狐狸爸爸

比恩是火鸡饲养场和苹果园的主人。他在一个长满了苹果树的果园里养了好几千只火鸡。他根本就不吃什么东西，而是饮用大量的烈性苹果酒，这种酒是他用自己苹果园里的苹果酿制的。他瘦得像一支铅笔，在他们三个人当

中，他是最聪明的一个。

比恩、邦斯、博吉斯，

一瘦一矮一胖子。

三个坏蛋真是坏，

模样虽然不一样，

没有一个不贪财。

这就是附近的孩子见到他们时常常唱的一支儿歌。

2　狐狸先生

山谷上方的小山上有一片树林。

树林里有一棵大树。

树下面有一个洞。

洞里边住着狐狸先生、狐狸太太，还有他们的四只小狐狸。每天晚上天一黑，狐狸先生就会对狐狸太太说："哎，亲爱的,这一次要吃什么呀？是从博吉斯那儿搞只肥鸡呢，还是从邦斯那儿弄只鸭子或者是鹅？要不然就是从比恩那儿搞只美味的火鸡？"狐狸太太把自己想吃的东西告诉他之后，狐狸先生便会乘着夜幕，悄悄地溜进山谷去随意取货。

了不起的狐狸爸爸

博吉斯、邦斯和比恩对所发生的事情很清楚，这使他们气得发疯。他们可不是那种宽宏大量的人。从他们那儿偷走任何一点东西他们都是不愿意的。于是，每天晚上，他们三个人都各自带着猎枪躲在自己饲养场里某个黑暗的地方，希望抓到这个窃贼。

不过，对他们来说，狐狸先生简直是太聪明了。他在接近饲养场时，总是逆风而行，这就是说，如果有人潜伏在前面的暗处，风就会把这个人的气味带到与他相距还很远的狐狸先生的鼻子里。这样，如果博吉斯先生躲在他的"1号鸡舍"后面，狐狸先生从50码开外的地方就能嗅到他的气味，于是他会迅速改变前进方向，朝位于养鸡场另一端的"4 号鸡舍"奔去。

"那个不要脸的畜生真他妈的该死！"博吉斯大叫道。

"但愿我能把他的五脏六腑都给扯出来！"

"一定得把他干掉！"

"可是怎么干呢？"博吉斯说道，"我们到底怎样才能逮住这个坏家伙？"

比恩用中指优雅地挖了挖鼻子。"我有一个计划。"他说。

"你还从来都没有过什么像样的计划呢。"邦斯说。

"闭嘴！听着，"比恩说，"明天晚上，我们都躲在狐狸住的那个洞的外边。我们一直等到他出来，然后……砰！砰砰砰！"

"妙极了！"邦斯说道，"但是我们要首先找到那个洞才行。"

"我亲爱的邦斯，我已经找到它了。"诡计多端的比恩说道，"它就在山上的树林里，位于一棵大树的下面……"

3 射 击

"哎，亲爱的，"狐狸先生说，"今天晚上吃什么呢？"

"我想咱们今晚就吃鸭子吧。"狐狸太太说，"如果你愿意的话，就弄两只肥鸭来，咱们两个吃一只，孩子们吃一只。"

"就吃鸭子吧！"狐狸先生说，"邦斯的鸭子是最好的！"

"那可要小心呀。"狐狸太太说。

"亲爱的,"狐狸先生说,"我在一英里之外就能闻到那些蠢货的气味。我甚至能通过气味分辨出他们谁是谁。博吉斯身上散发出的是烂鸡皮的恶臭味,邦斯带着一身鹅肝的臭气,而比恩呢,上上下下都被一股苹果酒的气味团团包围着,那简直像是有毒气体。"

"是啊,不过千万不要大意呀,"狐狸太太说,"你知道他们三个是会在那儿等着你的。"

"别为我担心,"狐狸先生说,"回头见。"不过,要是狐狸先生弄明白此时此刻那三个饲养场主正在什么地方等着他的话,他就不会这么过分地自以为是了。他们就躲在洞穴入口的外边,每个人蹲在一棵树的后面,手里端着上满了子弹的枪。除此之外,他们所处的位置也都是经过精心挑选的,以确保他们的气味不会被风吹向狐狸的洞里,而是被吹往相反的方向。他们的气味是无法被狐狸闻出来的。

狐狸先生匍匐着身子,沿着黑暗的地道爬到洞口。他把自己那张英俊的长脸伸到外边,在夜晚的空气中嗅了嗅。

他每向前挪动一两英寸，便停下来。

他又嗅了嗅。每当他从洞里出来的时候，他总是特别
小心。

他又向前移动了一点。现在，他的前半个身子已经从
洞里出来了。

他那黑色的鼻子不停地向两侧翕动着，翻来覆去地嗅
着危险的气味。他什么也没有发现。他正要奔向前方的树
林时，突然听到，或者说是感觉到一点声音。那是轻微的
沙沙声，好像是什么人在一堆干树叶中轻轻地移动了一下
脚。

狐狸先生的身子紧紧地贴着地面，一动不动，两只耳

朵竖了起来。他等了好长时间，但没有再听到什么声音。

"那一定是一只田鼠，"他自言自语道，"或者是别的什么小动物。"

他又向洞外爬出了一点儿……然后又爬出了一点儿。他现在差不多整个身子都露在外边了。他小心翼翼地向四周看了最后一眼。树林里一片漆黑，静悄悄的。月亮在天空中的某个地方闪闪发光。

就在这时，他那双敏锐的、在黑夜中也能看见东西的眼睛，瞥见了离他不远的一棵树后面有个亮东西。那是月光照在某个表面光亮的东西上而被反射出来的一个银色小光斑。狐狸先生一动不动地趴在地上看着它。那到底是什么东西呢？现在它动起来了。它一点一点地抬高……天哪！那是一根枪管！狐狸先生飞快地跳起来回头钻进自己的洞里，就在这一瞬间，他周围的整个森林里仿佛炸开了锅。砰砰！砰砰！砰砰！

从三支枪管里发出的烟雾在夜空中向上飘去。博吉斯、邦斯和比恩从他们藏身的树后面出来，向洞口走去。

"我们打中他了吗？"比恩说。

　　他们之中的一个人用手电筒照着洞口。在手电筒照到的一圈光亮中，只见地上有一截血迹斑斑、残破不堪的……狐狸尾巴。比恩把它拾了起来。"我们得到了尾巴，却没逮住狐狸。"他说着，把这东西扔到一边去了。

　　"妈的，真该死！"博吉斯说道，"我们的枪开得太晚了。我们该在他一探头的时候就开枪。"

　　"那样他就再也不会把头探出来了。"邦斯说道。

　　比恩从口袋里掏出一个小酒瓶，喝了一大口苹果酒。然后他说："至少要用三天的时间，才会饿得他再出来。我可不想坐在这里等着他。咱们把他挖出来吧。"

　　"啊哈，"博吉斯说，"你说得有道理。我们可以花几个小时的时间把他挖出来。我们知道他在那儿呢。"

"我估计,他们全家都住在那个洞里。"邦斯说道。

"那我们可要走运了,"比恩说,"去拿铁锹来!"

4 可怕的铁锹

在洞里，狐狸太太温柔地为狐狸先生舔着尾巴的残根，以便使它止住血。"这是方圆几英里内最漂亮的尾巴。"她一边舔着一边说。

"真痛啊。"狐狸先生说。

"我知道你痛，亲爱的，但是很快就会好起来的。"

"而且它很快就又会长出来的，爸爸。"其中一个小狐狸说道。

"它再也长不出来了，"狐狸先生说，"我下半生不会再有尾巴了。"他看上去非常沮丧。

这天晚上，狐狸一家没有东西吃，孩子们很快便打起盹来。狐狸太太也睡着了。但是狐狸先生由于尾巴根的伤痛，怎么也睡不着。"嗯，"他暗想，"我看，自己竟然还活着，这就够幸运的了。现在他们发现了我们的洞口，我们必须尽快搬家。不然的话，我们将永无宁日……那是什么动静？"他敏捷地转过头去，倾听着。他现在听到的声音，是一只狐狸所能听到的最可怕的声音——铁锹挖进土里的嚓嚓声。

"醒醒！"他喊道，"他们要把咱们挖出去了！"

狐狸太太顿时就醒了。她坐起身来，浑身发抖。"你敢肯定是这么回事吗？"她悄声耳语道。

"绝对没错！听！"

"他们会杀了我的孩子们的！"狐狸太太哭道。

“办不到！”狐狸先生说。

“可是亲爱的，他们会的！”狐狸太太啜泣着说，“你知道他们会的。”

铁锹在他们头顶上不停地挖着，发出咯吱、咯吱、咯吱的声响。小石块和土粒开始从地道的顶上往下落。

“他们会怎样杀死我们，妈妈？”其中的一个小狐狸问道。他吓得睁大那双又黑又圆的眼睛。“那儿会有狗吗？”他说。

　　狐狸太太开始哭起来。她让四个孩子凑近自己，并紧紧地搂着他们。

　　突然，他们头顶上"喀嚓"一声巨响，一个锋利的铁锹头直穿洞顶，落了下来。看到这个可怕的东西，狐狸先

生像是通了电似的，他跳起来喊道："有办法了！快点！一会儿也不能耽搁了！我怎么以前就没有想到呀！"

"想到什么啊，爸爸？"

"狐狸挖洞会比人挖得还快！"狐狸先生一边大声说着，一边开始挖了起来，"世界上谁也没有狐狸挖洞挖得快！"

为了逃命，狐狸先生用前爪挖了起来，挖下来的土呼呼地向他身后飞去。狐狸太太跑上前去助他一臂之力，四个孩子也来帮忙。

"向下挖！"狐狸先生命令道，"我们必须往深处挖，越深越好！"

地道越来越长了。它以很陡的坡度向下延伸，随着深度的增加，离地面也愈来愈远了。母亲、父亲和所有的四个孩子都在一起挖着。他们的前腿飞快地运动着，让人都看不清楚。铁锹的咯吱声和喀嚓声渐渐地变得越来越微弱了。

大约一个小时之后，狐狸先生停下来不挖了。"停！"他说。他们都停了下来。他们转过身去向后看着自己刚刚

挖过来的长长的地道。周围一片寂静。"呃！"狐狸先生说道，"我看咱们已经干完了！他们决不会挖这么深的。大家干得很好！"

他们都坐下来喘息着。狐狸太太对她的孩子们说："你

们可要知道，要不是你们的爸爸，我们现在早就没命了。你们的爸爸是一个了不起的狐狸。"

　　狐狸先生看了看自己的妻子，于是她笑了。听她说出这样的话，他更喜欢她了。

5 可怕的挖掘机

　　第二天早晨太阳升起来的时候，博吉斯、邦斯和比恩还在继续挖着。他们已经挖了一个很深的洞，你简直可以把一座房子放进去，但是他们仍然没有挖到狐狸洞的尽头。他们一个个筋疲力尽，气得要命。

　　"他妈的真该死！"博吉斯说道，"这是谁出的馊主意？"

　　"比恩的主意。"邦斯说道。

　　博吉斯和邦斯两人都瞪着比恩。比恩又喝了一大口苹果酒，然后把酒瓶子装进口袋里，没有递给他俩喝。"听着，"他气愤地说，"我要逮住那只狐狸！我打算抓住那只狐狸。不把他弄死，像一团肉似的挂在我的前门廊上，我是不会善罢甘休的！"

　　"我们这样挖是抓不着他的，这是肯定的，"胖子博吉斯说道，"我已经挖够了。"

　　大腹便便的小矮个邦斯抬头看着比恩，说："那么你还有什么蠢主意吗？"

　　"什么？"比恩说道，"我听不见你说的话。"比恩从来也没洗过澡。他甚至连哪儿都没洗过。因此，他的耳朵孔被各种各样像耳屎、污垢以及口香糖和死苍蝇之类的脏东西堵塞了，这样他就成了聋子。"大声说！"他对邦斯说道，于是邦斯大喊着回答："还有什么蠢主意吗？"

　　比恩用一根脏手指头挠了挠后颈。他那儿起了一个发痒的疖子。"就这个活儿来说，"他说道，"我们需要机器……挖掘机。我们用挖掘机五分钟就能把他挖出来。"

　　这是一个相当好的主意，其他两位只好接受。

"那好吧。"比恩开始负起责来，说，"博吉斯，你留在这里，看着别让狐狸跑了。邦斯和我去把我们的挖掘机开来。他要是设法跑出来，你就赶快向他开枪。"

又高又瘦的比恩走了。小矮个邦斯一路小跑着紧随其后。大胖子博吉斯留在原地没动，手里端着枪对着狐狸的洞口。

不久，两台前边带有机械铲的大型履带式挖掘机轰轰隆隆地开进了树林。比恩开着一台，邦斯开着另一台。两台挖掘机都是黑色的。它们看上去就像凶残的杀人怪兽。

"那么，我们就开始了！"比恩喊道。

"那狐狸死定了！"邦斯喊道。

挖掘机开始工作，从小山上大口大口地啃噬着泥土。狐狸先生刚开始挖洞的那个位置的上方有一棵大树，现在那棵树已经像一根火柴杆似的倒下了。碎石向四面八方飞溅，树木纷纷倒落，噪声震耳欲聋。

狐狸们趴在地下的隧道里，倾听着上面轰轰隆隆和砰砰的响声。"爸爸，出什么事了？"小狐狸们大叫道，"他们在干什么？"

　　狐狸先生不知道出了什么事，或者说不知道他们在干什么。

　　"是地震了！"狐狸太太大声说。

　　"看！"其中一个小狐狸说，"我们的洞变短了！我能看见亮光了！"

他们都向四周望去，是的，现在洞口离他们只有几英尺远了，在远处的一圈光亮中，他们可以看到那两台巨大的黑色挖掘机几乎就在他们的头顶上。

"挖掘机！"狐狸先生叫道，"还有机械铲！快拼命挖呀！挖呀，挖呀，挖呀！"

6 竞 赛

现在机器和狐狸之间展开了一场殊死比赛。起初，那座小山看上去是这样子的：

一个小时之后,挖掘机从山头上挖去了越来越多的土,小山看上去成了这个样子:

每当狐狸们取得一点进展,轰轰隆隆的响声渐渐减弱时,狐狸先生就会说:"我们就要成功了!我敢肯定!"但是随后不久,那机器就又会来到他们跟前,巨大的机械铲发出的嘎吱嘎吱的声响越来越高。有一次,当其中一个机械铲就在他们身后挖土时,他们真真切切地看到了它那锋利的金属铲刃。

"别停下,"狐狸先生气喘吁吁地说,"不要灰心!"

"别停下!"胖子博吉斯冲邦斯和比恩喊道,"现在我们随时都会逮住他!"

"你看见过他吗？"比恩回头喊道。

"还没有。"博吉斯大声说道，"但是我想你已经离他很近了！"

"我要用我的铲斗把他铲起来！"邦斯喊道，"我要把他剁成碎片！"

但是直到吃午饭的时候，挖掘机仍然还在挖着。可怜的狐狸们也在拼命地干着。现在小山被挖去了一大半，成了这个样子：

饲养场主们也没停下来吃午饭，他们干得上了瘾，不忍罢手。

"喂，狐狸先生！"邦斯从挖掘机上探出身子喊道，"我们这就要抓住你了！"

"你再也没法偷鸡吃了！"博吉斯嚷道，"你再也别想到我的饲养场去打主意了！"

三个人都陷入了一种精神失常的状态。瘦子比恩和大腹便便的小矮个邦斯像疯子似的开着挖掘机，加足马力，以极快的速度用机器铲挖着。胖子博吉斯像个苦行僧一样跳来跳去，嘴里不停地喊着："加油！加油！"

到下午5点，那座小山成了这个样子（在原来那座小山的位置上出现了一个大坑）：

挖掘机挖出的那个坑就像一个火山口。这可是一大奇观，周围村庄里的人成群结队地赶来观看。他们站在大坑边上，盯着下边的博吉斯、邦斯和比恩。

"喂，博吉斯！你们在干什么？"

"我们在逮狐狸！"

"你们一定是疯了！"

人们嘲讽着，大笑着，但是这反倒使三个饲养场主比以前更加狂怒，更加倔强，更加坚定。不抓住狐狸，他们决不罢休。

7　我们决不让他跑掉

　　比恩在下午6点钟关闭了挖掘机的马达，从驾驶座上爬了下来。邦斯和他一样，也从挖掘机上爬了下来。两个人开了一天的挖掘机，累得浑身僵直，而且还饥肠辘辘。他们向大坑底部的那个狐狸的小洞口缓缓地走去。比恩气得满脸发紫。邦斯用不堪入耳的脏话咒骂着。博吉斯摇摇晃晃地走了过来。"他妈的，这个该死的不要脸的臭狐狸！"他说道，"咱们现在该怎么办？"

　　"我要对你说的是，咱们不能罢手，"比恩说道，"咱们不能让他跑掉！"

　　"咱们决不让他跑掉！"邦斯大声说。

　　"决不决不决不！"博吉斯大叫道。

　　"你听见了吗，狐狸先生？"比恩弯着身子冲着洞口喊道，"现在还不算完哪，狐狸先生！我们不把你像个小玩意儿一样挂起来吊死就不回家！"于是，这三个人互相握着

手郑重地发誓：不抓住狐狸，就不回自己的饲养场。

"下一步怎么办？"大腹便便的小矮个邦斯问道。

"我们打算派你到洞里去把他弄出来，"比恩说，"下去吧，你这可怜的小矮个！"

"我不去！"邦斯尖叫着跑了。

比恩没精打采地笑了笑。他一笑，你就能看到他那猩红色的牙龈，而且看到的牙龈部分要比牙齿还要多。"那么现在就只有一件事可以做了，"他说，"我们把他饿出来。我

们昼夜在这里宿营，看着这个洞口。到最后他会出来的。他肯定会出来。"

于是博吉斯、邦斯和比恩给山下的饲养场捎信去，让人把帐篷、睡袋和晚饭送来。

8 狐狸们开始挨饿了

那天晚上，三顶帐篷在小山上的大坑里支了起来，博吉斯、邦斯和比恩一个人一顶帐篷。三顶帐篷环绕着狐狸的洞口。三个饲养场主坐在帐篷外吃着晚饭。博吉斯吃的是三只布丁焖鸡；邦斯吃的是六个炸面圈，里面都塞着令人作呕的鹅肝糊糊；比恩喝的是两加仑的苹果酒。他们三个人都把枪随时放在身边。

博吉斯拿起一只热气腾腾的鸡，把它凑近狐狸的洞口。"你能闻到这个吗，狐狸先生？"他喊道，"美味的嫩鸡啊！你怎么不上来吃呢？"

浓郁的鸡味飘进地道，一直飘到狐狸们蹲着的地方。

"噢，爸爸，"其中一个小狐狸说道，"咱们不能悄悄地溜上去从他手里把鸡抢过来吗？"

"那可不行！"狐狸先生说，"那正是他们想让你去做的。"

"可是我们饿了呀！"他们喊道，"我们什么时候才能弄到吃的东西呀？"

他们的妈妈没有回答，爸爸也没有说话。这是一个没法回答的问题。

夜幕降临的时候，邦斯和比恩打开挖掘机上的两盏高

强度的车灯照着狐狸的洞口。"现在，"比恩说，"我们轮流守着。一个人守着，两个人睡觉，然后轮换，盯一通宵。"

博吉斯说道："要是狐狸挖一个穿山的洞，从另外一边跑出来怎么办？你没想到这一点，是吗？"

"我当然想到了。"比恩装着有先见之明的样子说。

"那么，说下去，把答案告诉我们。"博吉斯说。

比恩从耳朵里挖出一小团黑黑的东西，并用手指把它弹掉。"你的饲养场里有多少干活的人？"他问道。

"35个人。"博吉斯说。

"我有36个人。"邦斯说。

"我有37个人！"比恩说道，"这样总共就有108个人了。我们得命令他们把这座山围起来。每个人都要带一支枪和一个手电筒。那样，狐狸就逃不掉了。"

于是饲养场里接到了命令，那天晚上由108个人形成的包围圈把山根围了起来。他们用棍棒、长枪、斧子、手枪以及其他各种可怕的武器把自己武装起来。这样就使得一只狐狸，甚至说任何一个其他的动物，都不可能从这座小山里逃出去了。

第二天，他们继续守在那儿，等待着。博吉斯、邦斯和比恩坐在凳子上，盯着狐狸的洞口。他们不怎么说话，只是把枪放在膝盖上坐在那里。

狐狸先生不时地向洞口的方向爬过去一点，用鼻子嗅一嗅，然后再爬回去说："他们还在那儿。"

"你能肯定吗？"狐狸太太这样问。

"绝对肯定！"狐狸先生说，"我在一英里之外就能闻出那个叫比恩的人。他身上很臭。"

9 狐狸先生有一个计划

这种监守的游戏持续了三天三夜。

"狐狸不吃饭不喝水，能活多长时间？"博吉斯在第三天的时候问道。

"现在用不了多长时间了，"比恩对他说，"他很快就会饿得跑出来的。他一定会出来的。"

比恩说得对。下面地道里的狐狸们确实快要慢慢地饿死了。

"要是咱们能喝上一小口水就好了。"一个小狐狸说道，"噢，爸爸，你不能做点什么吗？"

"爸爸，咱们不能猛地一下冲出去吗？那样咱们还有一点儿机会，不是吗？"

"根本没有机会，"狐狸先生厉声说道，"我是不会让你们到上边去面对那些枪的。我宁可让你们待在下面平静地死去。"

狐狸先生已经好长时间不说话了。他两眼紧闭，蹲在那里一动不动，甚至没听见别的狐狸在说些什么。狐狸太太知道，他正在竭尽全力、绞尽脑汁地思索着出去的办法。现在，当她看他的时候，她发现他动了一下身子，缓缓地站了起来。他向后看了看自己的妻子，眼睛里跳动着一点兴奋的火花。

"怎么了，亲爱的？"狐狸太太立即问道。

"我刚刚想到了一点儿主意。"狐狸先生谨慎地说。

"什么？"他们喊道，"噢，爸爸，什么主意？"

"快说！"狐狸太太说，"快告诉我们！"

"嗯……"狐狸先生说道，然后便停下来叹了口气，伤

心地摇了摇头。他又蹲了下来。"那办法不好，"他说，"那终归还是不行。"

"为什么不行，爸爸？"

"因为那就是说咱们还要继续挖洞，而咱们已经三天三夜没吃东西了，谁也没有足够的力气干下去了。"

"我们能行，爸爸！"小狐狸们叫着跳起来，跑到他们父亲的跟前，"我们能干！我们能不能行，你就瞧着吧！你也能行的！"

狐狸先生看了看四个小狐狸，脸上露出了微笑。他暗

想，我的孩子们多好啊！他们快要饿死了，三天来他们一口水都没喝，但他们仍然没有垮下来。我一定不能让他们泄气。"我……我想咱们也许可以试一试。"他说道。

"快说吧，爸爸！说说你想让我们干什么？"

狐狸太太缓缓地站了起来。由于没吃东西没喝水，她比他们中的任何一个都更难受。她的身体非常虚弱。"我太抱歉了，"她说，"但是我想我还能帮得上一点忙。"

"你就待在那儿吧，亲爱的，"狐狸先生说，"我们自己能干得了。"

10 博吉斯的1号鸡舍

"这一次，咱们要朝着一个特殊的方向挖。"狐狸先生指着侧下方说道。

于是他和他的四个孩子又开始挖了起来。现在的挖掘进度要慢得多了。不过他们鼓起巨大的勇气，不停地挖着，地道开始一点一点地向前延伸。

　　"爸爸，我希望你告诉我们，咱们现在是朝着什么地方挖呀？"其中一个孩子问道。

　　"我不敢说出来，"狐狸先生说道，"因为我希望去的这个地方简直太棒了，要是我对你们说了，你们会高兴得发疯的。另外呢，如果我们到不了那里（这很有可能），你们又会失望得要死。亲爱的，我不想让你们产生过多的希望。"

他们不停地挖了好长时间。究竟有多长时间他们也不知道，因为下面的地道里一团漆黑，没有白天，也没有夜晚。但是最后，狐狸先生命令停下来。他说道："我想，咱们最好悄悄地到上面看看，弄清楚现在咱们到哪儿了。我知道要去的地方，但是我搞不准咱们是不是到了那地方的附近了。"

狐狸们开始缓慢、疲惫地向地面方向的斜上方挖。地道一点一点地向上延伸……突然，他们挖到了头顶上的某个硬东西，再也无法向上挖了。狐狸先生走上前去察看这个硬东西。"是木头！"他悄声说道，"木头板子！"

"那意味着什么呢，爸爸？"

"这就是说，要是我没有大错特错的话，我们正好在某个人家的房子下面。"狐狸先生悄声说，"现在我看一下，千万别出声。"

狐狸先生小心地向上推起其中一块地板。木板发出了可怕的嘎吱声，他们全都趴下身子，等待着会有什么可怕的事情发生。什么事也没有。于是狐狸先生推起了第二块木板。接着，他非常非常谨慎地从空隙里探出脑袋。他不

由自主地发出了一声兴奋的尖叫。

"我成功了！"他喊道，"我第一次就成功了！我成功了！我成功了！"他一提身子，从地板的空隙里爬了上去，开始高兴地手舞足蹈起来。"快上来呀！上来看看你们在哪里呀，亲爱的！对一只饿狐狸来说，这是多妙的情景啊！感谢上帝！好哇！好哇！"

四个小狐狸争先恐后地从地道里爬了出去，他们看到的是多么奇妙的景象呀！他们正在一个很大的棚舍里，整个这地方到处都是鸡，有上千只白色、棕色和黑色的鸡！

"博吉斯的1号鸡舍！"狐狸先生喊道，"这正是我看

准的地方！我正好挖到了它的中间！第一次就成功了！多神奇啊！而且，我还可以说，简直是太巧妙了！"

小狐狸们兴奋得发疯，他们开始向各个方向奔去，追逐着那些蠢鸡。

"等一等！"狐狸先生命令道，"不要慌乱！向后站！静一静！咱们一步一步来！首先，大家都喝口水！"

他们都跑到鸡的饮水槽那儿，舔饮清凉可口的水。随后，狐狸先生挑了三只最肥的母鸡，敏捷地用嘴巴喀嚓一咬，就立刻把它们咬死了。

"回地道里去！"他命令道，"快走！别在这儿磨磨蹭蹭的！跑得越快，就能越快地吃上东西！"

他们一个接一个地从地板上的空隙里爬进地道，很快就又站在黑暗的地道里了。狐狸先生走上去把那块地板拉下来，让它恢复原状。他做得非常仔细，以便不让人看出来它们被移动过。

"儿子，"他把那三只肥母鸡给了他那四个孩子中最大的一个，说道，"快跑回去，把这个带给你妈妈。告诉她准备一个宴会。给她说我们其余的几个一安排好几件别的小事马上就到。"

11　狐狸太太吃了一惊

　　小狐狸带着那三只肥母鸡，以最快的速度沿着地道向回跑去。他高兴得要命。"等着瞧吧！"他不停地思忖着，"妈妈看到这个还不知会怎么样哪！"他跑的路很远，可是他在路上一次也没有停。他突然来到了狐狸太太的跟前。"妈妈！"他气喘吁吁地喊道，"看呀，妈妈，看呀！快醒醒，看看我给你带什么来了！"

　　狐狸太太由于没东西吃，身体比以前更虚弱了。她睁开一只眼睛看着那些母鸡。"我是在做梦吧。"她喃喃自语道，接着就又闭上了眼睛。

　　"你不是在做梦，妈妈！这真的是鸡！我们得救了！我们不会被饿死了！"

　　狐狸太太睁开双眼，迅速坐了起来。"可是，我亲爱的孩子！"她大声说，"到底是从哪里……"

　　"博吉斯的1号鸡舍！"小狐狸语无伦次地说道，"我们把洞正好挖到了那儿的地板底下，你一辈子都没见过那么多又大又肥的母鸡！还有，爸爸说要准备一个宴会！他们很快就会回来！"

　　狐狸太太看到吃的东西，自己似乎又增添了新的力量。"一定要搞一个宴会！"她说着站起身来，"噢，你们的爸爸是个多么了不起的狐狸啊！快点，孩子，把这些鸡的鸡毛拔掉！"

　　了不起的狐狸先生在地道里很远的地方说道："亲爱的孩子们，现在咱们来干下一件事！这件事可就容易多了！我们要做的只不过就是再挖一条从这里通往那里的小地道！"

　　"通往哪里，爸爸？"

　　"别问这么多。开始挖吧！"

12 獾

　　狐狸先生和留下来的三个小狐狸快速地一直向前挖去。现在他们都非常兴奋，也不觉得累或者饿了。他们知道不久将有一个极为丰盛的宴会在等着他们去享用。实际上，对他们来说，没有比博吉斯的鸡更好吃的东西了，每当想到这一点，他们便会高兴地笑起来。尤其让他们兴奋的是，

那个肥胖的饲养场主这会儿正蹲在小山上等着他们饿死呢，可正是他送给了他们一顿美餐，而他却对此全然不知。"继续挖，"狐狸先生说，"没有多远了。"

突然间，一个低沉的声音从他们的上方传来："谁在那儿？"狐狸们吓了一跳。他们迅速抬起头来，看见地道顶端的一个小孔里露出一张又尖又长、黑色的毛茸茸的脸。

"獾！"狐狸先生叫道。

"狐兄！"獾叫道，"我的老天哪！很高兴我终于找到伴儿了！我已经转来转去挖了三天三夜了。我已搞不清楚自己现在在哪里了！"

獾把洞顶的那个小孔扩大了一下，从顶上跳下来，站到狐狸们的身旁。一只小獾（他的儿子）也尾随其后跳了下来。"你听说上边的小山上出了什么事了吗？"獾激动地说道，"全乱了套了！有一半的树林都不见了，整个乡下到处都是带着枪的男人！我们大家都出不去了，甚至夜里都不行！我们都得被饿死！"

"我们指的是谁？"狐狸先生问道。

"所有我们这些挖洞的，就是我、鼹鼠，还有兔子以及我们的妻子和孩子。甚至平时再小的洞都能钻得过去的鼬

鼠，这会儿也和鼬鼠太太以及六个孩子躲在我的洞里呢。我们到底该怎么办，狐兄？我看咱们都完了！"

狐狸先生看看自己的三个孩子，笑了笑。孩子们也冲他会意地笑了笑。"我亲爱的老獾，"狐狸先生说，"让你们陷入困境，都是我的错……"

"我知道是你的错！"獾愤怒地说道，"并且那些饲养场主不抓住你是不会善罢甘休的。不幸的是，这意味着我们也脱不了干系，山上的每一个动物都是一样。"獾坐下来，用一个爪子搂着他的小儿子。"我们完蛋了，"他轻轻地说，"我可怜的妻子在上面已经非常虚弱，一点儿也挖不动了。"

"我妻子也是这样，"狐狸先生说，"不过这会儿她正为我和孩子们准备一个美味可口的肥鸡宴呢……"

"住口！"獾叫道，"别拿我开心了！我可受不了！"

"这是真的！"小狐狸们大声说道，"爸爸不是开玩笑！我们搞到了很多鸡！"

"并且所有这一切都完全是因为我的错，"狐狸先生说，"我邀请你一起来赴宴。我邀请大家——你、鼹鼠、兔子、

鼬鼠以及你们的妻子和孩子们——都来赴宴。我可以向你保证，东西很多，大家都有份。"

"你说话算数？"獾大声说，"你真的说话算数？"

狐狸先生凑近獾，神秘地低语道："你知道我们刚才在哪里吗？"

"在哪里？"

"正好在博吉斯的1号鸡舍里！"

"不会！"

　　"是的！但是那与我们正要去的地方相比却算不了什么了。你来得正是时候，我亲爱的獾。你可以帮着我们挖，与此同时，你的小儿子可以跑回去找獾太太和所有其他的动物，把这个好消息告诉他们。"狐狸先生又转身对小獾说，"给他们说，狐狸邀请他们参加宴会，然后领着他们到这儿来，再顺着地道向回走便找到我的家了！"

　　"好的，狐狸先生！"小獾说道，"服从命令，先生！马上就去，先生！噢，谢谢你，先生！"随后，他快速爬回地道顶上的小孔里，不见了踪影。

13　邦斯的大仓库

"我亲爱的狐兄！"獾大声说，"你的尾巴到底是怎么了？"

"拜托你，可别提它了。"狐狸先生说，"这可是件痛苦的事。"

他们正在挖一条新地道，大家都默默无言地挖着。獾是挖洞高手，由他出手相助，地道以极为惊人的速度向前延伸着。他们很快便蹲到了另外一处木地板的下面。

狐狸先生诡谲地咧嘴一笑，露出了他那尖利的白色牙齿，说："要是我没搞错的话，我亲爱的獾兄，咱们现在是在那个小矮个、大肚子的肮脏鬼邦斯的饲养场下面。实际上，咱们正好位于这个饲养场最有趣的那部分的下面。"

"鸭子和鹅！"小狐狸们一边舔着嘴唇一边说道，"鲜嫩的鸭子和大肥鹅啊！"

"一点儿不错！"狐狸先生说。

"可是你怎么竟然知道我们在什么地方呢？"獾问道。

狐狸先生又咧嘴笑笑，露出了更多的白色牙齿。他说："哎，在这些饲养场周围，我就是蒙着眼也迷不了路。对我来说，在地底下和在地上都是一样熟门熟路的。"他来到高处，向上推起一块木地板，然后又推起一块。他从缝隙间把头探了出去。

"正是啊！"他一边大叫着，一边蹿上去进入了上边的房子里。"我又成功了！正打在点子上！正中靶心！快来看啊！"

　　獾和三个小狐狸迅速跟着他爬了上去。他们停下来，站在那儿张着大嘴，呆呆地打量着。他们已完全不知所措，话都说不出来了，因为他们现在看到的正是狐狸所梦寐以求的，也是獾所梦寐以求的，是饥饿中的动物的天堂。

　　"我亲爱的獾兄，"狐狸先生断言道，"这是邦斯的大仓库啊！他最好的东西在送往市场之前都是存在这里的。"

　　这个大房间的四面墙上排放着一些橱子和从地板直达

天花板的货架,橱子里和货架上堆着成千上万只最好最肥、脱了毛待烤的鸭子和鹅!并且上面的房梁上还悬挂着至少有上百只熏火腿和五十挂熏肉!

"先饱饱眼福吧!"狐狸先生一边大声说,一边跳来跳去。"你觉得怎么样,嗯?相当好吃的东西!"

突然间,就好像他们腿中的弹簧松开了似的,三个小狐狸和饿极了的獾跳上前去就抢起那些美味的食物来。

"住手!"狐狸先生命令道,"这是我要举行的宴会,所以拿什么要由我来挑选。"于是他们一边舔着到手的排骨,一边退了回来。狐狸先生开始在仓库里悄悄地来回踱着步,以一种专家的眼神审视着这些绚丽的陈列品。一条长丝似的口水从他下巴的一侧流了出来,悬垂在空中,然后断落

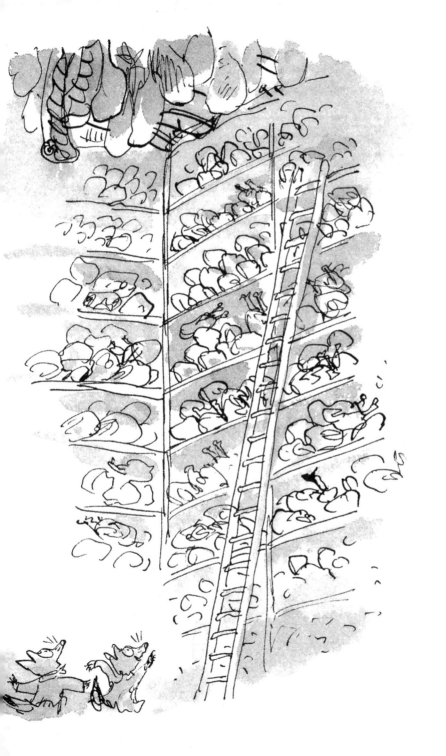

在地下。

"我们一定不要干得太过分,"他说道,"决不能露出马脚。一定不要让他们知道我们来过这儿。咱们必须干得干净利索,只拿走一点经过精心挑选出来的东西就行了。所以,咱们开头就拿四只小肥鸭吧。"他从架子上把东西拿了

下来。"噢，它们多肥多美呀！难怪邦斯在市场上都能卖个好价钱呢……好吧，獾兄，帮我一把，把它们拿下来……你们这些孩子也来帮帮忙……咱们到那边去……我的老天，看看你们嘴里的口水……现在……我想咱们拿点鹅吧……三只就足够了……咱们拿最大的……哎呀！哎呀！你在国王的厨房里也不会看到比这些还好的鹅呀……轻着点……就这样……来几条上好的熏火腿怎么样……我喜欢熏火腿，

你呢，獾兄？请你把那个梯子给我拿过来……"

狐狸先生爬上梯子，递下来三条巨大的火腿。"獾兄，你喜欢熏猪肉吗？"

"我太喜欢熏猪肉了！"獾一边大声说着，一边兴奋得手舞足蹈起来。"咱们拿一片熏猪肉吧！上边那个大的！"

"还有胡萝卜，爸爸！"三个小狐狸中最小的那个说道，"那些胡萝卜我们得拿一点儿。"

"别傻了，"狐狸先生说，"你知道咱们从来都不吃那种东西。"

"不是给咱们吃的，爸爸，是给兔子吃的。他们只吃蔬菜呀。"

"我的天啊，你说得对！"狐狸先生大声说，"真是个爱动脑筋的小家伙！拿十束胡萝卜！"

所有的这些可爱的战利品很快便在地板上整整齐齐地堆成了一堆。小狐狸们凑在一起蹲在那儿，鼻子不停地翕动着，眼睛像星星一样闪闪发亮。

狐狸先生说："现在，咱们还得向咱们的朋友邦斯借一下那些有用的推车，就是放在墙角那儿的那些。"他和獾把推车弄了过来，于是鸭子、鹅、火腿和熏猪肉都被装到了推车上。推车很快被从地板上的那个洞口里放了下去。动物们也尾随着推车滑进了洞里。狐狸先生回到洞里之后，又非常仔细地把那几块地板拉下来放回原处，以便不让人看出来它们曾被移动过。

狐狸先生指着三个小狐狸中的两个说道："亲爱的孩子们，你们各推一辆车，尽快跑回到你母亲那儿。替我向她

问好，告诉她我们有客人要来吃饭，客人有獾、鼹鼠、兔子和鼬鼠。给她说我们剩下的这几个一干完另外一件小事马上就回家。""是，爸爸！马上就去，爸爸！"他们答应道，然后各自抓过一辆手推车，沿着地道飞奔而去。

14 獾的疑问

"再去个地方看看！"狐狸先生大声说。"我敢打赌那个地方是哪里。"惟一一个留下来的小狐狸说道。他是所有的小狐狸当中最小的一个。

"是哪里？"獾问道。

"嗯，"最小的狐狸说，"我们已经去过博吉斯那儿了，也去过邦斯那儿了，但是我们还没去过比恩那儿。那地方一定是比恩那里。"

"你说对了，"狐狸先生说，"可是你不知道我们将要拜访的是比恩那里的哪一部分。"

"哪一部分？"他们两个一起问道。

"啊哈，"狐狸先生说，"你们就等着瞧吧。"他们边谈边挖，地道很快地向前延伸着。

獾突然说道："狐兄，你一点儿也不为此感到担心吗？"

“担心？”狐狸先生说道，“为什么担心？”

“所有这……这些偷窃行为。”

狐狸先生停下来不挖了，两眼凝视着獾，好像他完全傻了似的。他说："我亲爱的长毛的老古董，你知道全世界有谁在他的孩子快要饿死的时候，也不偷几只鸡？"

獾在深思的时候，出现了短暂的沉默。

"你简直太令人尊敬了。"狐狸先生说道。

"令人尊敬并没有什么错啊。"獾说道。

"瞧,"狐狸先生说,"博吉斯、邦斯和比恩正在外边要杀死我们。我相信,你明白这一点。"

"我明白,狐兄,我确实明白。"性情温和的獾说道。

"可是我们并不是要坏到像他们那样的程度。我们并不是想要把他们杀死。"

"我的确不希望那样。"獾说道。

"我们做梦也没有想到过那样,"狐狸先生说,"我们只是从这儿那儿拿点儿食物,以便让我们和我们全家活下去。对吗?"

"我想我们是迫不得已。"獾说道。

"如果他们想那样残忍,那就随他们的便吧。"狐狸先生说,"我们在这下边可是宽容的和平爱好者。"

獾把头歪向一侧,冲狐狸先生微笑着说:"狐兄,我喜欢你。"

"谢谢,"狐狸先生说,"那咱们现在继续挖吧。"

五分钟之后,獾的前爪碰到了某个平平的硬东西。"这

到底是什么？"他说，"看上去像是坚硬的石头墙。"他和
狐狸先生把土扒到一边去。那是一堵墙，但是是用砖砌的，
而不是用石头砌的。这堵墙就在他们的正前方，挡住了他
们的去路。

　　"究竟是谁会在地底下建一道墙呢？"獾问道。

　　"很简单，"狐狸先生说，"这是一道地下室的墙。要是
我没有搞错的话，它就是我要找的东西。"

15 比恩的秘密苹果酒窖

　　狐狸先生仔细地审视了一下这堵墙。他看到砖缝里的水泥已经陈旧并且碎裂了，于是他没费多大的劲便松动了一块砖，并把它抽了出来。突然，从抽掉的那块砖所形成的小洞里忽地一下露出一张长着胡须的尖瘦的小脸，并传来怒气冲冲的说话声："走开！你们不能到这儿来！这是我的地盘！"

　　"天哪！"獾说道，"是老鼠！"

　　"你这粗鲁的畜生！"狐狸说道，"我该猜到会在这下面的什么地方发现你的。"

"走开！"老鼠尖叫道，"快点，滚开！这是我的私人地盘！"

"住口。"狐狸先生说。

"我偏不住口！"老鼠尖叫道，"这是我的地方！是我先到这儿来的！"

狐狸先生满面笑容，他那白色的牙齿闪闪发亮。"我亲爱的老鼠，"他温和地说，"我可是个饿坏的家伙，你要是不赶快走开，我会一口把你吞下去的！"

这话起了作用，老鼠"嗖"的一声飞快地向后跑去，不见了踪影。狐狸先生大笑起来，并开始从墙上抽出更多的砖。当他从墙上掏出一个比较大的洞时，他从洞里爬了过去。獾和那只最小的狐狸也跟在他后面钻了进去。他们发现自己来到了一个宽敞、潮湿而又阴暗的地窖里。"正是它！"狐狸先生大声说。

"这是什么？"獾说道，"这地方什么也没有啊。"

"火鸡在哪里？"最小的狐狸盯着黑暗处说，"我想比恩是个养火鸡的人啊。"

"他是个养火鸡的人，"狐狸先生说，"但是我们现在不

是来找火鸡的，我们已经有了很多吃的东西了。"

"那我们还需要什么，爸爸？"

"好好地在四处瞧瞧，"狐狸先生说，"你就没看到有什么东西让你感兴趣吗？"

獾和最小的狐狸向半明半暗处窥视着。当他们的眼睛对黑暗习惯了的时候，他们开始看到，沿墙的架子上放着一大批样子像是大玻璃罐子的东西。他们走近几步，果然是罐子，有好几百个呢，每个罐子上都写着"苹果酒"。

最小的狐狸一跳老高。"噢，爸爸！"他大声说，"看哪，我们找到了什么！是苹果酒！"

"一点儿不错。"狐狸先生说。

"真是妙不可言！"獾也大喊道。

"比恩的秘密苹果酒窖。"狐狸先生说，"但是要小心行事，亲爱的，别弄出声音。这个酒窖就在饲养场场房的下

面。"

獾说道:"苹果酒对獾特别好,我们把它当药用,一日三餐一次一大杯,另外睡觉的时候再来一杯。"

"它将使我们的筵席成为盛大的宴会。"狐狸先生说。

他们说着话的时候,最小的狐狸已悄悄地从架子上搬下一罐,喝了一大口。"啊!"他喘息着叹道,"啊!"

你一定知道,这可不是从商店里买的那种普通的低度苹果汽酒。这可是真家伙,是家酿的烈性饮品,会让你的嗓子冒火,肚子里开锅。

"啊哈哈!"最小的狐狸气喘吁吁道,"这苹果酒真

好！"

"喝得够多的了。"狐狸先生说着，一把夺过罐子，把它放在自己的嘴唇上，喝了一大口。"真是妙极了！"他一边吃力地喘息着，一边悄声说道，"不可思议！太美了！"

"该轮到我了。"獾说着，接过罐子，把他的头向后仰着。苹果酒咕嘟咕嘟地流进了他的嗓子眼里。"就像……就像熔化的金子！"他喘息着说，"噢，狐兄，这就像……就像是饮用阳光和彩虹啊！"

"你们在偷酒喝！"老鼠尖叫道，"马上把它放下！你

们都快给我喝光了！"老鼠躲在酒窖里最高的那个架子上，从一个大罐子后面向外窥视着。有一根小橡皮管插在罐口里，老鼠正用这根管子吸酒喝呢。

"你喝醉了！"狐狸先生说道。

"少管闲事！"老鼠尖叫道，"你们这些笨手笨脚的大笨蛋要是到这儿来弄得一团糟，我们都得被抓住！滚开，让我自己安安静静地在这儿喝点儿苹果酒吧。"

　　就在这时，他们听见上面房子里的一个女人的喊声。"梅布尔，快去拿苹果酒来！"那声音喊道，"你知道比恩先生是不喜欢等个没完的，尤其是他在帐篷里过了整整一夜的时候！"动物们都吓呆了，他们一丝不动地站着，耳朵竖起，身子紧绷绷的。随后，他们听到了一扇门被打开的声音。那扇门位于那段从房子通往地下室的石头台阶的顶端。

　　现在，有人正开始走下那些台阶。

16　那个女人

　　"快啊！"狐狸先生说，"躲起来！"他和獾以及最小的狐狸跳上一个货架，蹲在一排盛苹果酒的大罐子后面。他们绕过罐子窥视着，看到一个大块头的女人来到了地下室里。在走到最后一级台阶的时候，那个女人迟疑了一下，向左右看了看。然后她便直奔狐狸先生和獾以及最小的狐

狸藏身的地方。她就在他们的前面停了下来。她和他们之间仅仅隔了一排苹果酒罐子。她离他们是那么近，以至狐狸先生都可以听得见她喘息的声音。他从瓶子之间的空隙里悄悄地看去，注意到她手里正拿着一根大擀面杖。

"比恩太太，他这次想要多少啊？"那女人喊道。于是从楼梯的顶端传来另外一个声音："拿上来两三罐。"

"他昨天喝了四罐，比恩太太。"

"是的，可是他今天要不了那么多，因为他在那上面待不了几小时了。他说那狐狸今天早晨一定会跑出来，它不可能再在洞里饿一天了。"

地下室里的那个女人伸手从架子上拿了一罐苹果酒。她拿的那罐酒与狐狸先生藏身的地方仅隔着一个罐子。

"要是把那个讨厌的畜生杀死吊在走廊里我才高兴呢，"她大声说，"顺便说一下，比恩太太，你丈夫答应过要把尾巴当纪念品送给我的。"

"那条尾巴已经被打烂了，"楼上的那个声音说，"你还不知道吗？"

"你是说那尾巴已经给毁了吗？"

"当然给毁了啊。他们打中了那条尾巴，可是没打中那只狐狸。"

"噢，真见鬼！"大块头女人说道，"我还真是很想要那条尾巴呢！"

"梅布尔，你可以要那个头来代替尾巴呀。你可以让人给你把它填充起来，挂在你卧室的墙上。现在快点把苹果酒拿上来吧！"

"好的，夫人，来了。"大块头女人说着，从架子上拿下了第二个罐子。

　　狐狸先生暗想，要是她再拿一罐，她就会看见我们。他可以感觉到，最小的狐狸那紧紧地贴着他的身体正由于激动而颤抖着。

　　"两罐够吗，比恩太太？要么我拿三罐？"

　　"我的老天，梅布尔，我不管那些，只要你动作快点就行！"

　　"那就拿两罐吧，"大块头女人说道，现在她是在自言自语，"反正他喝得也太多了。"

　　她一手提一只酒罐，把那根擀面杖夹在一只胳膊下面，向地下室的另一端走去。她在楼梯跟前停了一下，一边向四周打量着，一边嗅了嗅空气中的气味。"这儿又有老鼠了，比恩太太。我闻得出它们的气味。"

　　"那就毒死它们，妇人，毒死它们！你知道毒药在哪里放着。"

　　"是的，太太。"梅布尔说。她缓缓地爬上楼梯，在台阶上隐去了身影。门被"砰"的一声关上了。

　　"快！"狐狸先生说，"各自拿一罐酒快跑！"

老鼠站在高高的架子上，尖声叫着："我给你们说什么来着！你们差一点儿被抓住，不是吗？你们把这件事搞砸了！从现在起你们不许再到这儿来！我不准你们接近这里！这是我的地方！"

狐狸先生说："你会被毒死的。"

"胡说！"老鼠说道，"我坐在这上面看着她下毒药。她永远也别想逮住我。"

狐狸先生、獾和最小的狐狸各自抓着一罐一加仑重的苹果酒，从地下室的一端跑向另一端。"再见，老鼠！为这美妙的苹果酒谢谢你！"他们一边大声喊着，一边钻进墙上的那个洞里，不见了踪影。

"贼！"老鼠尖叫道，"强盗！土匪！窃贼！"

17　盛大的宴会

　　他们回到地道里之后，稍微停了一下，以便狐狸先生把墙上的那个洞用砖堵上。他一边把砖放回原处，一边自言自语地哼哼着。"我还会尝到那些美味的苹果酒的，"他说，"那只老鼠是个多么卑鄙的家伙啊！"

　　"他太没有礼貌了，"獾说道，"所有的老鼠都没有礼貌。我还从没遇上过一只懂礼貌的老鼠呢。"

　　"而且他喝得也太多了，"狐狸先生说着，把最后一块砖放好。"好了，现在，回家赴宴！"

　　他们拿起苹果酒罐子上了路。狐狸先生走在最前面，最小的狐狸排第二，獾走在最后。他们沿着地道飞快地前行……经过通向邦斯的大仓库的转弯处……又经过了博吉斯的1号鸡房，然后又走过了长长的一段路。他们知道，狐狸太太正在这段路通向的那个地方等着他们呢。

　　"跟上，亲爱的！"狐狸先生大声说，"我们很快就要

到了！想想在另一头等着我们的是什么吧！再想想我们带回家去的这些罐子里装的是什么吧！这下可该让可怜的狐狸夫人高兴了。"狐狸先生一边跑一边唱起了小曲儿：

我又一次飞快地溜回家，

回到我美丽的新娘身旁。

当她一喝下这些苹果酒呀，

她便会精神振奋身心舒畅。

獾也跟着唱了起来：

噢，可怜的獾夫人哪，

她饥肠辘辘气息奄奄。

只要喝下这些苹果酒呀，

她将会肚儿饱满精神添。

他们边唱着歌边拐过了最后一个弯，突然之间，一个最最美妙而且令人吃惊的场景展现在他们眼前。宴会刚刚开始。这是一个从地底下挖成的很大的餐厅，餐厅正中央

摆着一个大餐桌，围着餐桌坐着的至少有29个动物，他们
是：

狐狸太太和三只狐狸。

獾太太和三只小獾。

鼹鼠、鼹鼠太太和四只小鼹鼠。

兔子、兔子太太和五只小兔子。

鼬鼠、鼬鼠太太和六只小鼬鼠。

桌子上摆满了鸡、鸭、鹅、火腿和熏肉。大家正在狼吞虎咽地吃着这些美味的食物。"我亲爱的！"狐狸太太一边喊着，一边跳起来拥抱狐狸先生，"我们等不及了，请原谅！"然后她又拥抱了那只最小的狐狸，獾太太拥抱了獾，大家又互相拥抱了一番。盛着苹果酒的大罐子在一片欢快的喊声中被放到了桌子上，狐狸先生、獾和最小的狐狸和大家一起坐了下来。

你一定记得，在座的每一位都是好几天没吃任何东西了。他们都饿坏了，所以这会儿他们一句话都没说。在动

物们向鲜美的食物发起攻击的时候，只听见嘎吱嘎吱和呱唧呱唧的咀嚼声。

最后，獾站了起来。他举起酒杯大声说："干杯！我想让你们都站起来，为我们这位亲爱的朋友——狐狸先生，干上一杯！因为今天是他救了我们的性命。"

"为狐狸先生干杯！"他们都站起来，举起酒杯大声喊道，"为狐狸先生干杯！祝他长寿！"

随后，狐狸太太羞涩地站了起来，说："我不想在这儿演讲，我只是想说一句话，那就是：我丈夫是一个了不起的狐狸。"大家都鼓掌欢呼起来。接着，狐狸先生站了起来。

"这美味的食物……"他开口说道，然后又停了下来。

在随后的沉默中，他打了一个很大的嗝。大家都拍着手大
笑起来。"这美味的食物，我的朋友们，"他接着说，"是博
吉斯、邦斯和比恩三位先生款待我们的。"欢呼声和笑声更
高了。"我希望你们会像我一样喜欢它。"他又打了一个长
长的嗝。

"有气还是吐出来的好。"獾说道。

"谢谢你，"狐狸先生咧着大嘴笑着说道，"不过，我的
朋友们，咱们现在得严肃一点儿。咱们还是想一想明天、后
天以及以后的事儿吧。如果我们出去的话，我们将会被杀
死，对吗？"

"对！"他们大声说道。

"我们跑不了一码远就会被枪打死的。"獾说。

"一点不错,"狐狸先生说,"可是我来问问你们,又有谁想要出去呢?我们大家每一个都是挖掘高手,我们痛恨外面。外面到处都是敌人。我们之所以要出去是因为迫不得已,是因为要为我们的家人找吃的东西。可是现在,朋友们,我们有了一套全新的设施。我们有了一条通往三个仓库的安全通道,那可是世界上最精美的仓库啊!"

"确实如此!"獾说道,"我都看到了!"

"你们知道这意味着什么吗?"狐狸先生说道,"这意

味着咱们谁也用不着再到外面露天的地方去了！"

　　桌子四周响起了一阵兴奋的嗡嗡声。

　　狐狸先生接着说道："这样我邀请你们大家都留在这里，永远和我在一起。"

　　"永远在一起！"他们大叫道，"我的天哪！简直太棒

了！"于是兔子对兔子太太说："我亲爱的，你想想，咱们这一辈子再也不会挨枪子儿了。"

狐狸先生说："我们要建造一座地下的小村庄，里面有街道，街道两旁是房屋，獾、鼹鼠、兔子、鼬鼠和狐狸每家都有自己的房子。我每天都要为你们大家去采购。咱们每天都要像国王一样吃饭。"

这番讲话之后的欢呼声持续了好长时间。

18　仍然在等待

在狐狸洞外，博吉斯、邦斯和比恩坐在他们的帐篷旁边，把枪搁在膝盖上。天开始下雨了。雨水顺着这三个人的脖子流进去，一直灌进他们的鞋子里。

"现在，他不会在下面再待多长时间了。"博吉斯说。

"这畜生肯定饿坏了。"邦斯说。

"说得对，"比恩说道，"他随时都会冲出来，一定要把枪拿好。"

他们坐在洞旁边，等着狐狸出来。

就我所知，到目前为止，他们还在等着呢。

罗尔德·达尔，不只讲述精彩的故事……

　　你知道吗? 这本书的作者版税※, 有百分之十捐给罗尔德·达尔慈善机构。

　　罗尔德·达尔因擅长讲故事而闻名于世，但他倾力帮助罹患重病儿童的故事却鲜为人知。罗尔德·达尔非凡儿童慈善机构将追随他的心愿，继续向几千位罹患血液和脑部疾病的儿童患者提供帮助。该机构在护理师的培训、医疗设备以及英国儿童的重大娱乐活动方面提供至关重要的援助，并且通过开创性研究帮助世界各地的儿童。

罗尔德·达尔
非凡儿童慈善机构

　　如果你也想为孩子们做一些有意义的事情，请查看网站www.roalddahlcharity.org。

罗尔德·达尔博物馆与故事中心

罗尔德·达尔博物馆与故事中心 (The Roald Dahl Museum and Story Centre) 位于伦敦北部的白金汉郡大米森登村，这里是罗尔德·达尔生前居住和写作的地方。博物馆的核心是达尔所独有的信件和手稿档案，旨在激发人们对阅读和写作的热爱。两个引人入胜的达尔生平实物展览室，也是博物馆引以为豪的互动式故事中心，达尔著名的写作小屋也被搬到了这里。这是一个适合父母与孩子、教师与学生前来探寻有关创作和文学这个令人兴奋的世界的地方。

www.roalddahlcharity.org
www.roalddahlmuseum.org